MW01015297

CRISTÓBAL COLOGRO, ¡TU FIN POR FIN LLEGÓ!

Dra. Siu y Rebeldita la Alegre

Dra. Siu y Rebeldita la Alegre

Ilustración y diseño: Víctor Zúñiga

© Oriel María Siu 2022

Cristóbal Cologro ¡Tu Fin Por Fin Llegó!

1era Edición Versión Español
© Oriel María Siu 2022
www.orielmariasiu.com
www.orielmariasiu.com/theogrecologre

Ilustración y diseño: Víctor Zúñiga
www.victorgrafico.com

ISBN: 978-0-578-36331-8

COPYRIGHT © Oriel María Siu, 2022. All rights reserved. No part of this publication may be reproduced or transmitted in any form by any means, electronic, mechanical, photocopying, recording, or otherwise, without the prior written permission of the authors.

DERECHOS RESERVADOS © Oriel María Siu, 2022. Ninguna parte de esta publicación podrá reproducirse o retransmitirse de ninguna forma -ni electrónica, ni mecánica, ni por vía de fotocopiadora, ni por grabación- sin el permiso escrito de la autora.

A Berta Cáceres y a todos los niños en tierras ocupadas - por la verdad.

Húbose una vez, al otro lado del Mar A,
dos reyes muy avaros que el mundo deseaban controlar.
EuroLandia se llamaba la tierra en que vivían
y hasta donde vieran sus ojos, todo aquello poseían.

Eran dueños de castillos, tierras, oro, y de ríos,
vacas, cabras y hasta nubes acumulaban sin parar.
Pues pensaban que lo vivo era cosa de agarrarse
y entre ellos más tenían, más querían, ¡más y más!

Para hacerles el trabajo de acumular y acaparar
tenían a cien Ogros a quienes mandaban a robar.
Y tan, pero tan grandotes esos Ogros eran, que sus brazos atrapaban
hasta pájaros volando libres sobre el mar.

Hasta que un día, estos reyes muy avaros
llegaron a poseer absolutamente TODO
lo que en EuroLandia existía.
Y ni tierra, ni animales, ni montañas o más ríos
para agarrar ahí ya más había.

Fue en ese preciso momento que se les ocurrió que,
¡a tierras lejanas, a sus Ogros mandarían!

Y para liderar tal tarea, pues,

¡a su mejor Ogro escogerían!

"De todos los Ogros, el más ladrón;
¡ratero excelente come-ratón!
Ogro ambicioso, de todos los Ogros el más codicioso,
Cristóbal Cologro, ¡te escogemos a vos!
¡Pues Ogro más malo como vos no hay dos!"

"¡Andate a tierras lejanas y robátelas!
Traenos más oro, más nubes, ¡más MÁS!
Toditito lo del mundo para nosotros queremos,
así que en nombre de Dios, ¡a vos te escogemos!"

El Ogro Cologro ni lo pensó,
y en tres carabelas al Mar A se lanzó.
Pues él siempre quiso ser Ogro grandioso
-de todos los Ogros ser el más apestoso-,
y robar muchas tierras
¡para salir en los libros de Ogros famosos!

Y con cien otros Ogros el mar A navegó.
Tanto mar ellos vieron que hasta vomitó.

Mas un día de octubre por fin tierra vieron
y qué gran sorpresa, ¡PARAÍSO en el que dieron!
Nubes hermosas, montañas preciosas,
ornamentos de oro, arquitecturas GRANDIOSAS,
majestuosos jaguares, ¡flores hermosas!
y a millones de niños
jugando libres como el viento,
muy felices
junto al mar.

Al Ogro Cologro los ojos se le abrieron
pues creer no podían lo que estaban viendo;
de un lado a otro, se le movían sin control.
Hasta baboso estaba Cologro de tanta emoción.

"Robaré y robaré hasta más no poder", dijo,
"seré muuuuy famoso, ¡de todo esto me apoderaré!"

Y fue así que la primera OrdenOgruña en AbyaYala se oyó,
pues Cristóbal Cologro a todo pulmón la dictó:

"No me importa si mi idioma ustedes no entienden,

de ahora en adelante ¡aceptar mis órdenes deben!

Denme todo su oro, sus montañas y ríos,
sus nubes, su viento, ¡hasta el azul de su mar!
Lo quiero todo todito, pues aquí todo es muy bonito,
de ahora en adelante, ¡su gran dueño me harán!"

“ oditos!
S QUITO!

eyes!
os,

y bueno
O decir la verdad!

erito
m quitos.
Cualqu lo y feíto,
(o se atreva a s dientes podriditos)
¡haré que mis Og oman completito!

Los niños y padres de AbyaYala enfurecidos,
con todas sus fuerzas se dieron a gritar,

“¡Obedecerte NUNCA,
Ogro nalgas de rana, colita que no sana,
feo y malvado con patas de iguana!”
Y aún más fuerte dijeron,
“¡VOLVETE A ALTAMAR!”

Y de palos armados, toditos los niños,
por la MamaTierra se pusieron a luchar.

Pero los Ogros grandotes y sus Ogros traían armas de fuego y enfermedad.

Millones de niñas y
niños cayeron
al suelo sin vida,
un horror, de verdad.

Y fue entonces que vimos el comienzo de cómo
el Ogro Cologro a AbyaYala saqueó.
Los brazos grandotes de todos sus Ogros
a robar se pusieron -nada los paró.

Nubes y ríos a sus barcos metieron.
Montañas, mucho oro, y hasta piel de jaguar.
Se robaron las risas de los niños y abuelos,
sus libros quemaron.
Y a todos los pájaros libres volando
los Ogros agarraron
separándolos por siempre
del aire y el mar.

A AbyaYala los Ogros entraron.
Se quedaron en ella y la colonizaron...

Y les sigo contando...

Pues tanta hermosura en AbyaYala había
que en los brazos de los Ogros ya más no cabía.
Y al ver que sus Ogros robar más no podían,
Cristóbal Cologro dictó otra maldad:

"Traer a personas de otro lugar lejano,
¡y -para mí- forzarlas a trabajar!"

Y a un lugar llamado ÁfricaHermosa
en barcos grandotes Cologro a sus ogros mandó.
Ahí se robaron
a millones de niños, niñas y abuelos
que en cadenas de hierro a los barcos metieron
y a AbyaYala trajeron
para esclavizar...

Esta historia es de miedo, y lo peor, muy certera,
pues esto de veras en tu mundo ocurrió.
Mas seguramente no sabías de ella
pues Cristóbal Cologro contarla prohibió.

E hizo que los libros desde entonces contaran
mentiras grandotas para que hoy vos pensaras
que el más grande almirante de los mares él fue,
y que todo un continente "descubrió" él.

(¡Pero qué gran baboso ese Ogro Cologro!,
pensar que se puede a gente descubrir;
100 millones de personas en AbyaYala ya existían,
-desde hacía miles de años- cuando él llegó aquí.)

500 años van desde aquel octubre
en que el Ogro Cologro a AbyaYala llegó,
y ya no está vivo pero sus mentirototas
muy vivas hoy siguen,
-eso-, Cologro, muy bien lo logró.

Pero escúchenme niños y escúchenme bien,
que en esta historia pasan cosas
muy, pero muy, buenas también...

Pues un día de aquellos,
cuando Cologro aún vivía,
una súper abuelita lo imposible logró;
comió muuuchos frijoles para tener muuuuchas fuerzas
y con esas fuerzas, una montaña INMENSA ella solita ¡subió!

"¡Qué buenos frijoles!" se rio la abuelita.
"¡Ese Ogro Cologro ni me vio la colita!
En esta montaña haré un buen escondite.
No dejaré que Cologro la alegría nos quite".

Y a 7 cipotes y a 7 perritos logró la abuelita al refugio meter;
un árbol de Ceiba con sus ramas grandotas
los pudo, a todos, por mucho tiempo, esconder.

Y en cuevitas chiquitas armaron sus camitas,
y para comer sembraron semillitas:
maíces, cacao, aguacates, y tomates
piña y yuca hicieron crecer.
También frijolitos, papas, y coquitos,
para estar siempre alerta y fuerzas tener.

(Y fíjense que hasta unas gallinas al refugio llegaron,
y con ricos huevos, ¡a todos alimentaron!)

Y así fuertes y valientes los cipotes se hicieron
pues contra las leyes de Cologro, en comunidad resistieron.

Y todas las noches al ponerse el sol,
encubiertos de hojas los niños salían
siguiendo unos mapas que ellos mismos hacían.
A tierras de Ogros los niños se iban
a liberar a más niños que Cologro tenía.

Caminaban y corrían, escondidos y en silencio.
La luna y las estrellas les prestaban su luz.
Plantaciones de Ogros atravesaban sin miedo
para liberar a los niños de la esclavitud.

Y al llegar a las jaulas, los niños susurraban:

"En vez de dormir y soñar a ser libres,
aprovechemos la noche para despertar.
Rompamos cadenas, despiértense niños,
¡Juntos busquemos la libertad!"

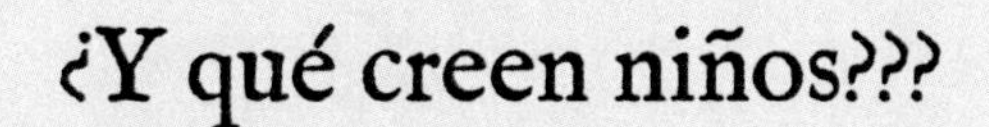

¿Y qué creen niños???

Pues poco a poquito así fueron creciendo
la comunidad de niños
-y una abuelita-
muy LIBRES, sin Ogros, en aquella montaña viviendo.

Ya no eran **7**,
ni tampoco **10**.
Ahora eran cientos
de niños enmontañados
que volteaban las leyes de Cologro
totalmente al revés.

Y en esa montaña inventaron mil juegos,
hablaron sus idiomas y
bailaron sin miedos.

Pues por las mañanas al salir el sol,
la abuelita -ya viejita- siempre les contó
historias que en su memoria ella recordaba
de AbyaYala previo a que Cologro llegara,
y de ÁfricaHermosa para que los niños jamás se olvidaran:

de dónde venían,
y las muchas canciones que en el corazón ellos traían,
los bailes que en vida sus abuelos hacían,
y la inmensidad de sabiduría que en sus mundos había.

De todo en su mundo les habló sin parar
esta linda abuelita sin nunca callar.

Pero como en la vida no todo es perfecto,
un día por accidente de la montaña se les escapó
el olor delicioso de la abuelita cocinando
y ese apetitoso aroma, ¡a los Ogros fue llamando!

Y cuando vieron que Cologro y sus Ogros se acercaron,
la abuelita, afligida, ¡del corazón se enfermó!

¡Pum pum! sus latidos se oyeron.
¡**PUM PUM**! sus latidos crecieron.

Entonces la abuelita a todos los niños,
con urgencia, llamó:

"Escúchenme niños, y escúchenme bien,
no sé cuánto tiempo más con ustedes estaré.
Entonces hay algo muy importante que tienen que hacer:

Nuestra historia escriban
y guárdenla bien,
la verdad toditita digan,

¡no permitan que
Cologro nos la robe
también!"

Y justo al dar estos buenos consejos,
los Ogros, a la abuelita, decir la verdad oyeron.
Y a callarla iba Cristóbal Cologro
cuando un arma muy discreta, hacia los Ogros,
los niños dirigieron...

Un silencioooso,
LAAAAAARGO,
y APESTOOOOSO
¡PEDO!
a un mismo tiempo los niños soltaron

pues ese pedo colectivo,
¡como bomba utilizaron!

Muchos frijoles comían los niños
para estar siempre listos,
y de pedos armados.

Y tal como los niños lo habían pensado
Cologro y sus Ogros
¡ese pedo no aguantaron!

Y se fueron los Ogros
y ya más no regresaron.

Mas esa misma noche,
con mucha tristeza,
y muuuuchos besitos,
un último adiós, a la abuelita le cantaron.

Pero al día siguiente,
en un libro que los niños ellos mismos hicieron,
de hojas de árboles que juntos recogieron,
bajo luces de luciérnagas se pusieron a escribir
palabras que como flores les empezaron a salir.

Y cuando terminaron de escribir el libro de toditita la verdad,
los niños lo titularon:

*La historia prohibida de AbyaYala y de todos los niños,
y nuestros abuelos, que Cristóbal Cologro no quiere que hablemos.*

Después ese libro lo metieron en un huequito
del árbol de Ceiba que los protegió.
"Para que un día", los niños dijeron,
"alguna niña o niño lo encuentre,
y con la VERDAD
libere a AbyaYala
-y a todos sus niños-
de las mentiras de Cologro
de sus robos, y de tanto dolor".

Pero pasó muuuucho tiempo después de escribirlo,
los niños cansados de tanto esperar,
a que alguien de afuera el libro encontrara,
viejitos se hicieron y empezaron a desesperanzar...

Y en todo ese tiempo más Ogros llegaron,
¡Oh, pobre AbyaYala! más y más la saquearon.
Grandes murallas los Ogros alzaron,
y entre los Ogros también se pelearon
al dividirse la tierra que ellos mismos colonizaron.

¿Y el Ogro Cologro?
Pues por allá en Eurolandia se murió.
Pero a muchos Ogros
y sus grandes mentiras,
muy vivos y vivas en Abya Yala dejó.

Y pasó mucho tiempo.
Tanto pero tanto,
que esta historia llegó al
tiempo en que vos vivís:
¡hoy!

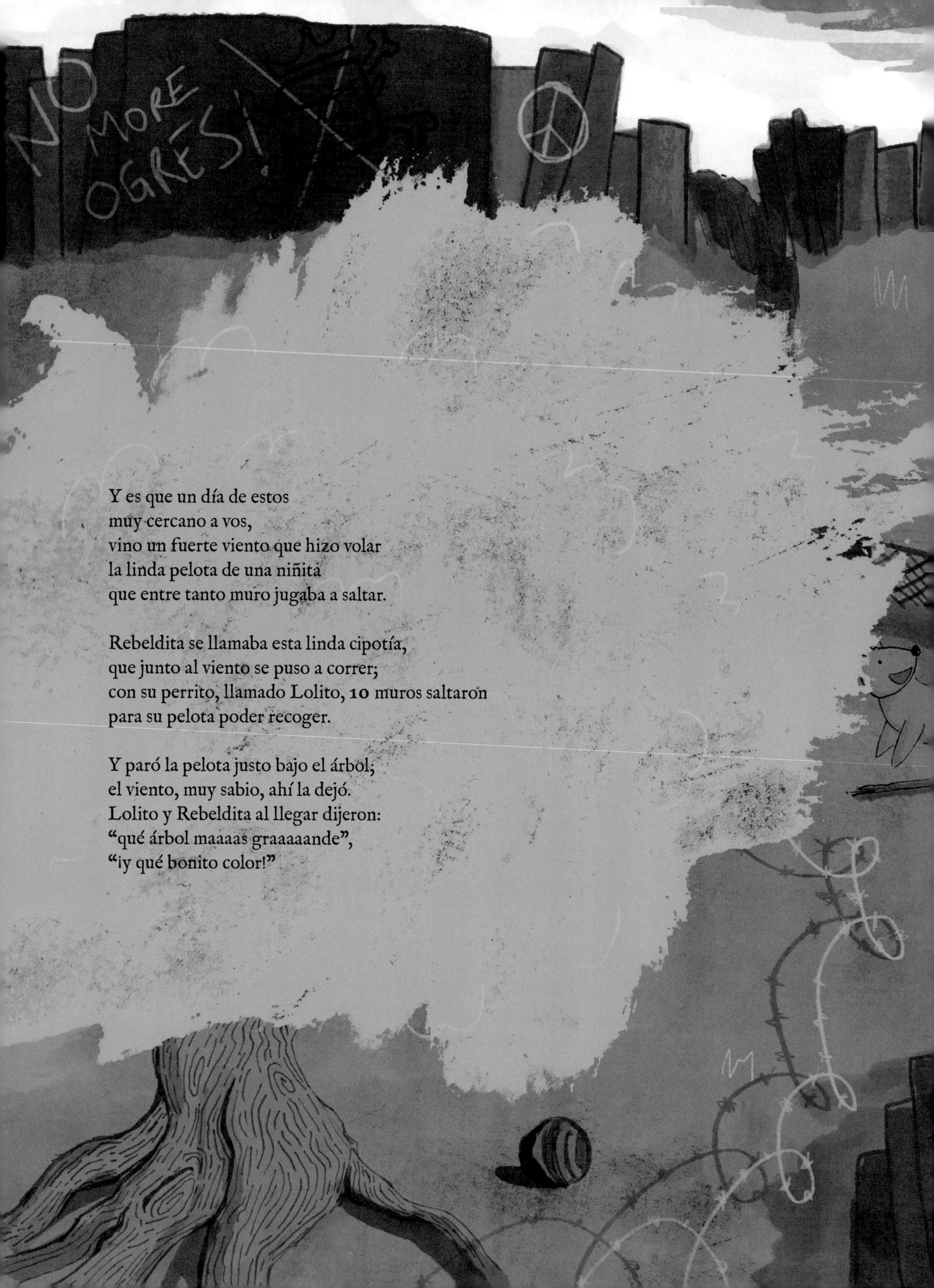

Y es que un día de estos
muy cercano a vos,
vino un fuerte viento que hizo volar
la linda pelota de una niñita
que entre tanto muro jugaba a saltar.

Rebeldita se llamaba esta linda cipotía,
que junto al viento se puso a correr;
con su perrito, llamado Lolito, 10 muros saltaron
para su pelota poder recoger.

Y paró la pelota justo bajo el árbol;
el viento, muy sabio, ahí la dejó.
Lolito y Rebeldita al llegar dijeron:
“qué árbol maaaas graaaaande”,
“¡y qué bonito color!”

Y cuando a agarrar la pelota ella iba
vio Rebeldita una hojita brillar;
era una hojita bien bien bonita
que Rebeldita supo debía agarrar.

Y agarró la hojita
y sintió ella magia
porque la Ceiba le empezó a hablar:

“Para vos algo tengo, alegre Rebeldita.
Muy adentro de mí esperándote está.
Meté la manito, agarralo que es tuyo;
lo que hacer con él, sólo vos lo sabrás”.

Y metió Rebeldita su mano chiquitita
adentro del árbol hasta que sintió
una flor bien grandota que de un libro salía
y poco a poquito, sacar el libro logró.

"Wow, ¡qué hermoooso liiiiibroo!"
"¡Qué súper liiiiiiiiindo!"
"¡Qué bello que estáaaaaa!", para sí susurró.

Y lo abrió al instante
y comenzó a leerlo,
y cada palabra
la transformó.

Pues de ese libro hermoso que en sus manos tenía
aprendió de dónde y de quiénes venía,
"¡Soy negra y valiente, indígena y fuerte!"
Y aprendió verbos que ella no conocía:

"¡Resistir es vivir!", el libro decía,
y esas palabras en su corazón Rebeldita las sentía.

Y aprendió el nombre verdadero del continente en que estaba
pues el que conocía era el que los Ogros le daban.

"Ab-ya-Ya-la," susurró Rebeldita.
"Ab-ya-Ya-la," con más fuerza leyó,
"¡Ab-ya-Ya-la!," con sus dos pulmones muy orgullosa gritó.

Aprendió mucho del libro escondido,
tanto que quiso con vos compartir
todo lo que en él los niños escribieron
para las mentiras de Cologro, de una vez combatir.

Decidió entonces la alegre Rebeldita
escribir el libro que en tus manos está.
Rebeldita sabe que es un libro prohibido
por eso con muchas más ganas te lo hizo llegar.

Porque sabe
que vos
sabrás
siempre
apreciar
la verdad
para hacer de este mundo un lugar más bonito
sin mentiras de Ogros
y sin su maldad.

Para que nadie te robe el derecho
de conocer la historia
y de cambiarla ¡ya!

Y Cologrín Colorado,

a Cristóbal Cologro su fin por fin le ha llegado.

Pues los niños de AbyaYala

¡ya enterados están!

Rebeldita

Made in the USA
Las Vegas, NV
22 April 2022